La Rose écarlate

XIII. ELLE A TELLEMENT CHANGÉ

SCÉNARIO ET DESSIN

PATRICIA LYFOUNG

COULEUR

FLEUR D., LINDA AKSONESILP & PHILIPPE OGAKI

DELCOURT

Sites Internet :
www.pelotedephilapat.com
www.patricialyfoung.deviantart.com
www.editions-delcourt.fr/special/laroseecarlate/

facebook.com/laroseecarlatebd
La page officielle Facebook de Patricia Lyfoung :
www.facebook.com/patriciaLyfoungBD

Le Tumblr officiel de Patricia Lyfoung :
patricialyfoung.tumblr.com
Et vous pouvez suivre aussi le travail de Patricia Lyfoung sur Twitter !

Du même auteur, chez le même éditeur :
• *Un prince à croquer* (quatre volumes)

Comme scénariste, chez le même éditeur :
• *La Rose écarlate - Missions* (cinq volumes) - dessin de Jenny

Aux Éditions Soleil :
• *Comme ton ombre* (un volume) - dessin de Manboou

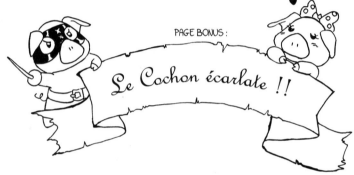

Éditeur : Thierry Joor

© 2017 Éditions Delcourt

Tous droits réservés pour tous pays
Dépôt légal : octobre 2017. ISBN : 978-2-7560-6480-2
Première édition

Loi n° 49-956 du 16 juillet 1949
sur les publications destinées à la jeunesse

Conception graphique : Trait pour Trait

Achevé d'imprimer en septembre 2017 sur les presses de l'imprimerie PPO à Palaiseau, France

www.editions-delcourt.fr

APRÈS TOUTES CES ANNÉES DE RECHERCHES... ME VOILÀ, MOI, FRANCIS DE LA COUTELIÈRE, GENTILHOMME FRANÇAIS ET MEMBRE DE DU CERCLE, EN FACE...

... DE LA LÉGENDAIRE TOISON D'OR DE JASON !!!

ZAP! AïE!

OH NON, CE N'EST PAS POSSIBLE !!

ENCORE ELLE !!!

LA FEMME EN NOIR ?!!!

JE PENSAIS VOUS AVOIR TUÉE DANS L'EXPLOSION DE CE CHÂTEAU !!

3

MON COMPAGNON, LE CORBEAU ET MOI AVONS RÉUSSI À NOUS ÉCHAPPER AVANT !!

4

DÉPÊCHEZ-VOUS AVANT QUE TOUT NE S'ÉCROULE !!

VOUS POUVEZ TOUJOURS COURIR, LE CERCLE VOUS RATTRAPERA !!

BONG !!

SORTONS VITE DE CETTE GROTTE !

AU MOINS, COMME ÇA, PLUS PERSONNE NE POURRA PÉNÉTRER DANS CET ENDROIT !

CETTE EXPLOSION ! C'EST... C'EST VOUS !! VOUS AURIEZ PU TOUS NOUS TUER !

NON !

C'EST VOUS QUI AVEZ PRIS UN RISQUE EN HÉSITANT À TUER CET HOMME !

OÙ EST DONC LA JEUNE FEMME ENRAGÉE QUI EST VENUE ME CHERCHER IL Y A DEUX ANS POUR L'AIDER À DÉTRUIRE LE CERCLE ?

DEUX ANS PLUS TOT...

?!

BADABOUM!!!

MAIS NON, KILLIAN !
QUEL IDIOT ! ÇA FAIT DEUX SEMAINES
QUE TU ES LÀ, ET TU N'ARRIVES
TOUJOURS À RIEN !!! VA-T'EN
NETTOYER LA GRANGE
DES COCHONS, TIENS !

JE...
OUI, MONSIEUR...

7

ET DIRE QUE VOUS ÉTIEZ CHEVALIER ! JE N'AURAIS PAS IMAGINÉ VOUS RETROUVER EN GARÇON DE FERME, KILLIAN.

MAUD DE LA ROCHE ?!

C'EST... C'EST UN PEU À CAUSE DE VOUS SI JE SUIS LA.

JE SAIS. J'EN SUIS DÉSOLÉE...

ET... QUE ME VAUT VOTRE VISITE ? PARDONNEZ-MOI SI JE NE PEUX PAS VOUS ACCUEILLIR AUTRE PART QUE DANS CE...

... CHARMANT ENDROIT !

NE VOUS EN FAITES PAS, J'AI TOUJOURS ADORÉ LES COCHONS.

VOUS ÊTES SEULE ? OÙ SONT VOS AMIS ET GUILHEM DE LANDREY ?

J'AI QUITTÉ TOUS MES AMIS... NATALIA A ÉTÉ ASSASSINÉE...

?!!

JE NE SUIS PAS LÀ POUR VOUS MENTIR, KILLIAN. JE VEUX VENGER NATALIA ET DÉTRUIRE L'ORGANISATION SECRÈTE POUR LAQUELLE ELLE TRAVAILLAIT.

LE CERCLE, TEL EST SON NOM, VEUT RÉUNIR DES OBJETS MAGIQUES POUR ASSEOIR SON POUVOIR ET JE DOIS L'EN EMPÊCHER. POUR CELA, J'AI BESOIN DE VOTRE AIDE.

POURQUOI MOI ET PAS LANDREY ?

IL NE M'AURAIT JAMAIS SOUTENUE DANS UNE TELLE MISSION.

KILLIAN, APPRENEZ-MOI À DEVENIR PLUS FORTE !

VOUS ÊTES UN ASSASSIN HABILE ET J'AI BESOIN DE VOS COMPÉTENCES POUR DÉTRUIRE LE CERCLE !

HEIN ?!!

NON, JE REFUSE. VOUS N'ÊTES PAS FAITE POUR CETTE VIE DANGEREUSE. ET MOI, J'ASPIRE À UNE VIE PLUS SIMPLE AUSSI... ADIEU, MAUD DE LA ROCHE.

AH NON, KILLIAN, ATTENDEZ !!

9

VOUS NE VOUS DÉBARRASSEREZ PAS DE MOI AUSSI FACILEMENT !

11

HÉ, KILLIAN, TA PETITE COPINE, LÀ, TU VAS PAS LA LAISSER SOUS LA PLUIE COMME ÇA ? ELLE Y EST DEPUIS CE MATIN ! ELLE VA ATTRAPER LA MORT !

MAUD ! DÉPÊCHEZ-VOUS D'ENTRER !

10

VOUS AVEZ GAGNÉ, J'ACCEPTE DE VOUS AIDER.

OH ! MERCI, KILLIAN !

NE ME REMERCIEZ PAS ENCORE, MAUD. NE VOUS ATTENDEZ PAS À CE QUE JE SOIS GENTIL AVEC VOUS. VOUS RECEVREZ LE MÊME ENTRAÎNEMENT QUE CELUI QUE J'AI REÇU.

JE N'AURAI AUCUNE PITIÉ ! CE SERA À MA MANIÈRE, COMPRIS ?

OUI, KILLIAN. JE FERAI TOUT CE QUE VOUS ME DIREZ ! JE NE ME PLAINDRAI PAS ! JAMAIS !!!

OUI, JE SAIS. JE SUIS PRÊTE À TOUT POUR VENGER NATALIA ET METTRE LES MEMBRES DU CERCLE HORS D'ÉTAT DE NUIRE !

OUBLIEZ TOUT CE QUE VOUS ÉTIEZ JUSQU'À PRÉSENT. LA VIE DANS LAQUELLE VOUS ALLEZ BASCULER SERA DURE ET NOIRE. CE SERA UN MONDE AGRESSIF ET SANS PITIÉ, UN MONDE OÙ SEULE RÈGNE LA LOI DU PLUS FORT !

BIEN, DANS CE CAS... ALLONS-Y ! DE TOUTE FAÇON, JE CROIS QUE LA VIE À LA FERME N'ÉTAIT PAS FAITE POUR MOI...

MAIS COMMENT COMPTEZ-VOUS SUBVENIR À NOS BESOINS ? AVEZ-VOUS DE L'ARGENT ?

RASSUREZ-VOUS, CELA FAIT LONGTEMPS QUE JE SAIS COMMENT M'EN PROCURER.

ZZZ

DEBOUT, MAUD !!

AAAH !

VOTRE ENTRAÎNEMENT COMMENCERA TOUS LES MATINS DÈS CINQ HEURES !

DE... HEIN ?!!

COCORICOOO...

14

VOUS COUSEZ, MAUD ?

OUI, MON NOUVEAU COSTUME ! AINSI QUE LE VÔTRE ! VOUS NE LE SAVEZ PAS MAIS, DANS MON PAYS, J'ÉTAIS FIÈRE D'ÊTRE UNE GRANDE JUSTICIÈRE : LA ROSE ÉCARLATE !

ÇA VOUS IMPRESSIONNE, HEIN ?

NON.

...

BREF ! A PARTIR DE MAINTENANT, JE SERAI LA FEMME EN NOIR !

LA FEMME EN NOIR ?

QUANT A VOUS, VOUS SEREZ LE CORBEAU ! APRÈS TOUT, VOUS ÊTES TOUT AUSSI SYMPATHIQUE QU'UN CORBEAU...

SI NOUS DEVONS COMBATTRE NOS ENNEMIS, AUTANT AVOIR DES COSTUMES CLASSE, NON ?

FLAP !

QUE JE SACHE, JE N'AI PAS UN BRAS PLUS COURT QUE L'AUTRE. LAISSEZ-MOI FAIRE.

ARGH !!

POURQUOI TOUT CE NOIR ?

TANT QUE JE N'AURAI PAS VENGÉ NATALIA, JE PORTERAI LE NOIR, LA COULEUR DU DEUIL...

14

16

TIENS,
MAIS QUI VOILA ?

JEAN LA GUIGNE,
VOILA POUR L'INFORMATION
SUR CE QUE TU SAIS.

OH, COMME
C'EST GENTIL !

MAIS... VOUS SAVEZ,
CETTE INFORMATION, JE L'AI EUE
DIFFICILEMENT... CE N'EST PAS
TOUS LES JOURS QU'ON RENCONTRE
DES AGENTS DU CERCLE...

ET PUIS,
MA FAMILLE S'EST AGRANDIE...
J'AI BESOIN DE PLUS D'AR...

GRRR !!

15

BONG !

PARLONS-EN, DE TA FAMILLE ! SI TU VEUX LA RETROUVER CE SOIR, TU AS INTÉRÊT À DIRE CE POUR QUOI NOUS TE PAYONS !

EUH ! OUI, MADAME ! UN... UN DE LEURS AGENTS EST PARTI RÉCUPÉRER LE SAINT-SUAIRE À ROME !

HÉ ! MON ARGENT !!

TIENS, POUR TA FAMILLE NOMBREUSE ! ET LA PROCHAINE FOIS, NE T'AVISE PLUS D'ESSAYER DE NOUS ROULER !

?!

AH, LA GARCE !

VOUS N'AVEZ PAS EU PITIÉ DE SA FAMILLE ?

IL N'A PAS DE FAMILLE !

C'EST BIEN, MAUD... VOUS N'ÊTES FINALEMENT PAS SI NAÏVE QUE ÇA !

ET PENDANT DEUX ANS, MAUD ET KILLIAN, SOUS LEUR NOUVELLE IDENTITÉ, DÉJOUENT PLUSIEURS MISSIONS DES AGENTS DU CERCLE À TRAVERS L'EUROPE.

TENEZ, VOILA CE QUE VOUS M'AVEZ DEMANDÉ !

?!

France, Paris, M. Roulet

ALLONS-Y !

LA FRANCE, VOTRE PAYS... ÇA IRA POUR VOUS, MAUD ?

NE PERDONS PAS DE TEMPS AVEC VOS QUESTIONS STUPIDES !

GUILHEM !
VOUS NE POUVEZ PLUS
RESTER AINSI
PROSTRÉ !

MONSIEUR
LE COMTE ?... PAPA ?

REGARDEZ-VOUS !
VOUS ÊTES ÉPUISÉ !
ALLEZ VOUS REPOSER,
QUE DIABLE !

NON.
PAS AVANT
D'AVOIR RETROUVÉ
MAUD !

21

NOS AMIS DIMITRI ET LOUISE SONT SUR UNE PISTE. LAISSE-LES CHERCHER ET REPOSE-TOI UN PEU.

MOI AUSSI, J'AIMERAIS RETROUVER MAUD...

MAIS VOTRE PÈRE ET MOI NOUS FAISONS AVANT TOUT DU SOUCI POUR VOTRE SANTÉ, MON GARÇON...

JE VAIS BIEN, MONSIEUR LE COMTE...

JE... JE N'ARRIVE PAS... DEUX ANS QUE MAUD EST PARTIE...

J'AI CHERCHÉ PARTOUT... OÙ PEUT-ELLE ÊTRE ?

GUILHEM, MON GARÇON... JE SAIS CE QUE TU RESSENS. MOI AUSSI, J'AI PERDU PIED QUAND TA MÈRE EST MORTE. MAIS LA DIFFÉRENCE, C'EST QUE MAUD EST PARTIE DE SON PLEIN GRÉ.

ELLE REVIENDRA, J'EN SUIS SÛR. TU DOIS AVOIR FOI EN ELLE !

OUI...

TU AS SANS DOUTE RAISON.

22

ENFIN,
IL DORT.

MERCI, CHARLES,
DE M'AVOIR AIDÉ À TROUVER
LES MOTS POUR LE
RAISONNER.

IL Y A CINQ ANS,
ALORS QUE JE CHERCHAIS
VAINEMENT UNE SOLUTION POUR
RESSUSCITER MA FEMME, JE ME SUIS FAIT
ABORDER PAR UNE ORGANISATION
SECRÈTE : LE CERCLE.

LEURS MEMBRES
CHERCHAIENT LA FONTAINE DE
JOUVENCE. PUISQUE NOUS AVIONS DÉSORMAIS
UN BUT COMMUN, ILS M'AVAIENT ENVOYÉ NATALIA
POUR M'AIDER DANS MA QUÊTE. LEURS RAISONS
M'IMPORTAIENT PEU, MON SEUL BUT ÉTAIT
DE FAIRE REVIVRE NINA.

MAIS QUAND
NOUS SOMMES REVENUS SANS L'EAU DE
CETTE FONTAINE, ILS N'ONT PAS HÉSITÉ
À ASSASSINER NATALIA POUR NOUS PUNIR.
MAUD, BOULEVERSÉE, NOUS A
QUITTÉS PEU APRÈS.

DANS LA MAISON,
TOUTES MES RECHERCHES AVAIENT
DISPARU. LE CERCLE AVAIT
TOUT RÉCUPÉRÉ...

23

NOUS NOUS SOMMES MIS ALORS À LA RECHERCHE DE MAUD...

... MAIS AUCUNE TRACE D'ELLE. NULLE PART !

C'EST COMME SI ELLE SE CACHAIT DE NOUS. DIMITRI PENSE QUE MAUD EST À LA RECHERCHE DU CERCLE ET DE SES MEMBRES.

SI NOUS LES RETROUVONS, NOUS PENSONS QUE NOUS LA RETROUVERONS ELLE AUSSI...

QU'ATTENDONS-NOUS ALORS POUR LES RETROUVER ?!

CHARLES, C'EST UNE SOCIÉTÉ SECRÈTE ! ILS NE CRIENT PAS QUI ILS SONT SUR LES TOITS ! ET DE PLUS, D'APRÈS CE QUE NOUS SAVONS, CHAQUE MEMBRE NE CONNAÎT LUI-MÊME QU'UNE OU DEUX PERSONNES DU GROUPE.

C'EST DONC TRÈS COMPLIQUÉ DE LES TROUVER. POURTANT, ILS SONT PARTOUT, DANS CHAQUE COUCHE DE LA SOCIÉTÉ, DANS TOUS LES MÉTIERS... ESTIMONS-NOUS HEUREUX QU'ILS NOUS AIENT LAISSÉS VIVANTS, DIMITRI ET MOI...

OH...

COMME J'AIMERAIS REVOIR MAUD...

MERCI, MADAME LA DUCHESSE, DE M'AVOIR FAIT L'HONNEUR DE VENIR CHEZ MOI CE SOIR.

C'EST UN VRAI PLAISIR POUR MOI QUE D'ÊTRE REÇUE PARMI TOUS CES SAVANTS, MONSIEUR ROULET !

ON M'A DIT QUE VOUS PENSEZ QUE LA FEMME EST L'ÉGALE DE L'HOMME ?

JE DIRAIS MÊME PLUS : NOUS VOUS SOMMES BIEN SUPÉRIEURES... PUISQUE NOUS VOUS LAISSONS CROIRE QUE VOUS L'ÊTES !

HA! HA! HA!

MADAME LA DUCHESSE, VOUS ALLIEZ LA BEAUTÉ ET L'INTELLIGENCE...

POUR UN SAVANT, VOUS N'ÊTES PAS MAL NON PLUS !

MAIS VEUILLEZ M'EXCUSER, JE DOIS ALLER ME REPOUDRER LE NEZ !

25

26

LES CHEVALIERS M'ONT CHOISI, MOI, POUR UNE MISSION !

ENFIN !!

VOYONS VOIR... LA SAINTE-CHAPELLE ? LES RELIQUES DE SAINT LOUIS ?

TRÈS BIEN, JE M'EN OCCUPERAI DEMAIN SOIR ! QUI AURAIT IMAGINÉ QU'ELLES POUVAIENT DÉTENIR DE TELS POUVOIRS ?

BINGO ! LE CERCLE ! JE SAVAIS BIEN QUE CE ROULET MANIGANÇAIT QUELQUE CHOSE ! TOUTES CES SEMAINES À ME LE COLTINER N'AURONT PAS ÉTÉ VAINES.

CHUT, ROULET !

TAC !

NE PARLEZ PAS SI FORT, IL PEUT Y AVOIR DES ESPIONS PARTOUT !

OH, PARDON...

MAIS N'OUBLIEZ PAS, VOUS ÊTES AUSSI LÀ POUR PIÉGER LA FEMME EN NOIR ET SON CORBEAU !

ILS RISQUENT D'ÊTRE DE LA PARTIE !

LA LÉGENDAIRE FEMME EN NOIR, CELLE QUI A EMPÊCHÉ LES AUTRES AGENTS DE RÉUNIR LES OBJETS MAGIQUES !

EH BIEN, JE L'ATTENDS DE PIED FERME !

LA FEMME EN NOIR ?... SE POURRAIT-IL QUE... ?

27

!?!

DEBOUT, GUILHEM !!

EH BIEN, QUE DE FRISSONS ! JE NE PENSAIS PAS QUE CE SERAIT AUSSI EXCITANT DE JOUER LES ESPIONNES !

... LOUISE ?!

DIMITRI AVAIT RAISON DE SOUPÇONNER ROULET. IL EST DE MÈCHE AVEC LE CERCLE ! IL A REÇU UN HOMME MYSTÉRIEUX, HIER SOIR.

ET DEMAIN, ROULET DOIT RÉCUPÉRER LES RELIQUES DE SAINT LOUIS, À LA SAINTE-CHAPELLE !

LAISSE-MOI DORMIR, LOUISE...

NOUS DEVONS LES EN EMPÊCHER, GUILHEM ! SORS TOUT DE SUITE DE CE LIT !

FLOP !

POUAH ! QUELLE ODEUR ! TU ES DANS UN ÉTAT ÉPOUVANTABLE, GUILHEM ! REGARDE-MOI CETTE BARBE ET CES CHEVEUX ! JE SUIS SÛRE QUE TU AS DES POUX !

JE N'AI PAS DE POUX !

29

30

32

MONSIEUR LE CURÉ !! SOYEZ COOPÉRATIF...

... OU VOUS AUREZ DES PROBLÈMES AVEC MES HOMMES !

VOUS ALLEZ ENFIN NOUS DIRE OÙ SE TROUVENT LES RELIQUES DE SAINT LOUIS ?!!

NON !! VOUS ALLEZ LES SOUILLER...

ALORS NOUS ALLONS VOUS CASSER LES DOIGTS !

CE ROULET EST INSUPPORTABLE !! JE DOIS FAIRE QUELQUE CHOSE !

NON, GUILHEM ! NOUS DEVONS ATTENDRE QU'ELLE ARRI...

32

33

DIMITRI ? LOUISE ? QUE... QUE S'EST-IL PASSÉ ?

MAIS IL N'Y AVAIT PLUS PERSONNE, MÊME PAS TOI !

TU T'ES ENFERMÉ AVEC NOS ENNEMIS DANS LA CHAPELLE. APRÈS AVOIR MIS LE PRÊTRE EN LIEU SÛR, JE SUIS REVENU...

MAIS... COMMENT SUIS-JE ARRIVÉ JUSQU'ICI, LOUISE ?

AH ÇA, AUCUNE IDÉE !

QUELQU'UN A FRAPPÉ À MA PORTE, ET DEVINE QUI J'AI TROUVÉ SANGUINOLENT DANS L'ENTRÉE DE MON HÔTEL PARTICULIER ? TOI, À MOITIÉ MORT ! ILS NE T'ONT PAS RATÉ !

ET ENSUITE, QUI S'EST BIEN OCCUPÉ DE TOI, HEIN ? C'EST BIBI !

MAUD... ELLE EST REVENUE ET M'A SAUVÉ... JE L'AI APERÇUE, HIER, DANS L'ÉGLISE !

ELLE PORTAIT UN MASQUE NOIR ET IL Y AVAIT UN AUTRE HOMME AVEC ELLE... CE SONT EUX QUI M'ONT DÉPOSÉ CHEZ TOI !

MAIS SI C'ÉTAIT BIEN ELLE, POURQUOI S'EST-ELLE DÉJÀ... ÉVAPORÉE ?

GUILHEM !

IL Y A DEUX AGENTS POUR TOI... ILS VEULENT TE PARLER À PROPOS D'HIER SOIR.

NOUS SAVONS QUE VOUS ÊTES CONVALESCENT, MONSIEUR LE COMTE, MAIS NOTRE COMMANDANT VOUDRAIT PRENDRE PERSONNELLEMENT VOTRE DÉPOSITION.

POURRIEZ-VOUS NOUS ACCOMPAGNER JUSQU'À L'HÔTEL DE POLICE ?

EUH... OUI, BIEN SÛR...

38

J'AI REVU LE PRÊTRE DE NOTRE-DAME. LES RELIQUES SONT À L'ABRI. LE CERCLE NE POURRA PLUS LES RETROUVER.

AH, C'EST BIEN...

CETTE RENCONTRE AVEC LANDREY VOUS A SECOUÉE.

ÇA VA, KILLIAN... C'EST VRAI QUE J'AI ÉTÉ SURPRISE, MAIS JE DOIS RESTER CONCENTRÉE SUR MA MISSION.

NOUS DEVONS RETROUVER CE ROULET QUI SE CACHE DEPUIS HIER SOIR... ET L'EMPÊCHER DE NUIRE À NOUVEAU.

NOUS TROUVERONS CERTAINEMENT DES INFORMATIONS ICI. C'EST UN REPAIRE DE CHASSEURS DE PRIMES ET DE BRIGANDS.

QUOI ? IL Y A UN PROBLÈME ?

Z'ÊTES LA FEMME EN NOIR ET LE CORBEAU ?

QUE NOUS VOULEZ-VOUS ?

Y A UN MESSAGE QUI CIRCULE POUR VOUS, DE LA PART D'UN CERTAIN...

39

BONG!

PAF!

BIM!

PAF!

YAAAH!

MAUD ?
QUELLE FORCE...

LA FEMME
EN NOIR !!

MAIS
BON SANG,
ARRÊTEZ-LES !

41

EUH...

JE CROIS
QUE JE VAIS VOUS
LAISSER !...

ROULET ?!
REVENEZ !
QUEL LÂCHE !...

VOUS LES AVEZ
PEUT-ÊTRE TOUS
ASSOMMÉS MAIS...

... PUISQUE
C'EST COMME ÇA,
JE VAIS VOUS...

45

BAUD DE LA ROCHE... ELLE A TOTALEMENT COUPÉ LES PONTS AVEC SES AMIS ET SA FAMILLE.

NOUS NE POURRONS PLUS FAIRE PRESSION SUR ELLE.

MAUDITE SOIT-ELLE ! JE SAVAIS QU'ELLE ÉTAIT DANGEREUSE !

BIEN, D'UN CÔTÉ, NOUS AVONS QUAND MÊME UN NOM...

... MAIS DE L'AUTRE, ELLE VA REDOUBLER DE VIGILANCE MAINTENANT QU'ELLE SAIT QUE NOUS LA CONNAISSONS.

NOUS DEVONS LA RETROUVER.

LAISSEZ-MOI ENCORE UNE CHANCE ! JE VOUS PROMETS D'Y ARRIVER...

MON CHER FRANCIS... VOUS PARTIREZ DÈS DEMAIN POUR LA SIBÉRIE. VOUS AUREZ AINSI TOUT LE TEMPS DE SOIGNER VOTRE NEZ.

?!

EMBARQUEZ-LE !

NON !! NON, PITIÉ ! PAS LA SIBÉRIE ! ONYX, PARLEZ-LEUR...

VOTRE PROTÉGÉ N'ÉTAIT FINALEMENT PAS À LA HAUTEUR, CHER ONYX.

TAISEZ-VOUS, DIAMANT !

ALLONS, MES CHERS CHEVALIERS, NE NOUS DISPUTONS PAS ! FAISONS DE NOTRE MIEUX POUR ATTEINDRE NOTRE BUT.

J'AVAIS ANTICIPÉ L'ÉCHEC DE LA COUTELIÈRE...

POUR ARRÊTER CETTE MAUD, J'AI DONC FAIT APPEL À MON MEILLEUR AGENT, VENU EXPRÈS D'ANGLETERRE.

44

GUILHEM !

CELA FAIT TROIS JOURS QUE TU AS DISPARU ! NOUS T'AVONS CHERCHÉ PARTOUT !

MAIS TU ES COMPLÈTEMENT SAOUL ?!

J'AI... J'AI REVU MAUD...

ELLE A TELLEMENT CHANGÉ...

TU AS VU MAUD !?!

ELLE EST DEVENUE SI SOMBRE ET SI... INSENSIBLE... ELLE ÉTAIT FROIDE COMME DE LA GLACE.

MAIS... OÙ EST-ELLE ?

ELLE EST PARTIE, LOUISE... CETTE FOIS, ELLE M'A VRAIMENT ABANDONNÉ. MAIS SURTOUT...

... ELLE NE M'AIME PLUS...

45

47

LYFOUNG-FLEUR.D-LINDA-OGAKI. JUILLET 2017

FIN DE L'ÉPISODE